LIEB

Klaus Humann

LIEBESSCHWÜRE ENGLISCH

Komplimente, Koseworte, Schmeicheleien

In die Landessprache süßholzgeraspelt von Michael Hulse

Eichborn Verlag

Umschlaggestaltung: Dö VanVolxem unter Verwendung
einer Zeichnung von Matthias Siebert.
Druck + Bindung: Fuldaer Verlagsanstalt GmbH.
ISBN 3-8218-2034-9
Verlagsverzeichnis schickt gern: Eichborn Verlag,
Kaiserstraße 66, D-60329 Frankfurt/Main.

Inhalt

Vorbemerkung

Wir leben im Zeitalter des Stöhnens. Alles ist beschwerlich und mühsam, zäh und langwierig. Nichts macht uns mehr Spaß, und für das wenige Vergnügen müssen wir auch noch teuer bezahlen. Dieses Buch paßt nicht in unsere Zeit. Es ist ein Buch der Freude und des Dankes, der Lobeshymnen und der Liebesschwüre. Warum?

Warum nicht? In Wahrheit ist die Welt nicht so sehr viel schlechter als vor zweihundert Jahren. Allenfalls reparaturbedürftiger. Und in den wenigen Wochen, in denen wir uns von unseren vier Wänden lösen, Meeres- oder Bergluft schnuppern, den Wecker vergessen, begehrenswert werden und selber begehren, im Urlaub nämlich, ist nicht alles nur Katastrophe. Sicher, die Preise sind gestiegen, die Algen haben sich ausgebreitet, der Schlachtruf „Im Mountainbike zum Matterhorn" läßt den wahrhaften Ökologen erzittern, und die Kellner sind eben auch nur Menschen, aber ansonsten sind und bleiben Ferien die schönsten Wochen des Jahres.

Um diese Wochen auch gebührend feiern zu können und um einen Urlaub ohne Sprachbarrieren zu genießen, braucht ein jeder von uns und eine jede auch „Liebesschwüre Englisch". Schon sind wir gerüstet in 17 Situationen, in denen wir endlich neue Freundschaften schließen und alte vertiefen können – in der Sprache der Eingeborenen.

Ab sofort seid Ihr in der Lage, Süßholz zu raspeln, daß die Späne fliegen, Komplimente der charmantesten Art zu verteilen wie Karnevalspräsidenten Malzbonbons, und der Hotelier wird Euch nie wieder vergessen können. Vor allem werden Euch die Herzen zufliegen, der Männer wie

der Frauen, je nach Bedarf, und die Zeit der stummdumpfen Liebe ist ein für allemal vorbei.
Und wem das noch nicht reicht: „Basisschmeicheln von a(bgefahren) bis z(uversichtlich)“ erweitert die Palette der Liebesschwüre um ein Mehrfaches. Und Ihr müßt dafür keinen Pfennig draufbezahlen. Komplimente, die hart an die Schmerzgrenze gehen können – nein, lacht nicht, auch so etwas gibt es in unserer zunehmend kühler werdenden Zeit – haben wir mit einem Totenkopf ☠ gekennzeichnet. Hier heißt es sparsam dosieren und dem Gegenüber dabei tief in die Augen sehen.
Wohlan, Sirenen und Gigolos aller deutschsprechenden Länder, hebt ab und schmeichelt um die Wette. Und Ihr werdet sehen: Menschen jeden Alters, jeder Religion und Hautfarbe werden Euch zu Füßen liegen oder, wem das eher behagt, in den Armen.

Klaus Humann

PS: Und wem, nach all der Sülzerei, nach etwas gänzlich anderem zumute ist: Es gibt auch „Englisch schimpfen“. Gleiche Ausstattung, gleicher Preis, dreifacher Gebrauchswert.

How to be nice to people

Like most sane people the whole world over, the Englishspeaking peoples very quickly grow bored or suspicious if you lay on the flattery too thick. They'll wonder what you're after. Or they'll think you're a jerk. As usual it's a question of getting the tone right.

Too fulsome or patronizing a tone will probably get you a reputation for insincerity or arrogance, but if you toss off a compliment in passing, as if it had slipped out accidentally, almost without your knowing it, people may let you get away with it. But don't overdo it.
Compliments rarely interest hotel or restaurant staff one tenth as much as a decent tip, though a pleasant comment on departure tends to be appreciated. Obviously it's an altogether different matter when it comes to chatting up the guy or doll you've set your sights on. The under-20s have a language entirely their own, which changes almost by the minute and can only be learned by the very determined or the lobotomized. For the rest on us, while it's true that in the wake of the women's movement a man can hardly compliment a woman any more without prompting a groan, the AIDS-and-motherhood era has tended to revive old-fashioned rituals, and a strategic dollop of flattery rarely comes amiss.
Flavour of the decade in the 90s ist still cool, though, and if you enthuse non-stop you'll be a social leper sooner than you can buy a gag. In the US and Canada, associates and acquaintances are more amenable to being told what you like about them, but in Australia, New Zealand and the British Isles they'd prefer to wait twenty years for you to tell them laconically that you quite like them, really.

Michael Hulse

Gelandet.

In der Zollkontrolle

Wer nach einer langen Reise, ob nun im Flieger, per Fähre oder mit der Bahn, endlich am Ort seiner jährlichen Träume angekommen ist und eigentlich nur noch ein Bett und ein Pils braucht (oder umgekehrt), weiß eine zuvorkommende und gut organisierte Zollkontrolle zu schätzen.

Veranstaltet ihr immer so einen großen Bahnhof für Fremde?

Do you always make such a fuss over strangers/visitors?

Jetzt fehlt hier bloß noch die Ehrengarde

Now all we need's a guard of honour

Alle Achtung. Das klappt ja heute wie am Schnürchen

Hats off. It's all going like clockwork today

Ihr könnt ja sogar mal fünf gerade sein lassen

You even know when to turn a blind eye

Ich habe bei Ihnen heute wohl einen Stein im Brett?

Looks like I'm well in with you today

Zimmer mit Aussicht.

Im Hotel

Ob es nun eine Alterserscheinung ist oder weise Voraussicht: diesmal gibt es keine Experimente, sondern das Hotel vom letzten Jahr. Und wieder Zimmer 9, mit Aussicht. Schon nach zwei Tagen wißt ihr die Routine dieses Hauses zu schätzen und versucht dem Inhaber zu erklären, was ihr an ihm habt.

Ich gestehe Ihnen unumwunden meine vorbehaltlose Bewunderung

Allow me to express my unqualified approval

Wir wissen die Aufmerksamkeit Ihres Hauses zu schätzen

We really appreciate the attention you pay to guests

Bei Ihnen hat alles Hand und Fuß

Everything's shipshape here/hunky-dory

Das Hilton neulich war ja dagegen eine verstaubte Absteige	That Hilton was a fleapit compared with this
Hier kann ich endlich mal ausspannen	At last I can kick up my heels/relax/put up my feet

Bei Ihnen fühlen wir uns sofort wie zu Hause	Here we feel at home right away

Mit Eis, bitte!

An der Bar

Für viele fängt ein Urlaubstag erst abends an der Bar an. Und wenn da nicht alles stimmt, können Sonne, Meer und Sterne sich noch so anstrengen. Und die Seele einer Bar ist der Mann hinter dem Tresen, der oft auch eine Frau ist. Diesmal habt ihr es gut getroffen: Das Eis ist noch nicht geschmolzen, die Drinks mehr als reichlich und die Musik alles andere als nur der obligatorische eintönige Klangteppich.

Das haben Sie hier aber mit viel Stil eingerichtet	Very stylish, I must say
In dieser anheimelnden Atmosphäre müssen sich die Gäste einfach wohl fühlen	The atmosphere's very cosy and inviting
Da haben Sie wirklich etwas auf die Beine gestellt	This is really a bit of all right

Sie überschlagen sich ja förmlich vor Aufmerksamkeit

Your service here is really the bee's knees

Euer Gin Tonic haut echt gut rein

You mix a stiff gin and tonic

Burgen, Cremes und Liegestühle.

Am Strand

Bar und Strand sind die Eckpfeiler eines jeden Sommerurlaubs. Heißt es immer. Zumindest Eltern wissen einen sauberen Sand, plastikbecherfreies Wasser und die Eisdiele in der Nähe zu schätzen. Und wenn dir dann auch noch die Sonne hold ist und der Strandwärter nicht nur zu knappe Badehosen trägt, ist das schon die halbe Miete.

Ich bin von diesem weißen Sand vollkommen hin und weg	I can't get enough of this white sand

Die Stimmung hier am Strand ist echt ein Hammer!	The vibes down here at the beach are terrific

Besser kann man es ja gar nicht treffen

It's all absolutely A-okay

Hut ab vor der Sauberkeit und den gepflegten Anlagen hier

It's all very clean and in tiptop condition – hats off!

Ich kann mich an dieser Bucht gar nicht sattsehen

I could look at this bay for ever

Pinten und Paläste.

Im Fremdenverkehrsbüro

Ihr kommt an und merkt nach ein paar Tagen, daß Strand zwar viel, aber nicht alles ist. Was tun? Im Rathaus oder am Marktplatz findet ihr das örtliche Informationsbüro und hilfsbereite Gastgeber, die stolz auf ihre Stadt sind und euch mit Tips und Plänen weiterhelfen.

Ich hänge sehr an Ihrem Ort	I'm very attached to your town/village
Im Heimatmuseum würde ich am liebsten meinen Lebensabend verbringen	The local museum can't be improved
Damit stechen Sie doch glatt jeden Ort in der Umgebung aus	There isn't a town/village to touch you for miles around
Nizza kannste dagegen glatt vergessen	Nice is nothing to this

Die Sicht vom Kirchturm ist einfach umwerfend	The view from the church tower/spire is breathtaking

Der Gaumen des Gourmets.

Im Restaurant

Wenn wir vom Urlaub erzählen, dann immer auch vom Essen. Alles, was es nicht oder so nicht bei uns gibt, ist in diesen Wochen Trumpf. Ein mit feinen Speisen gefüllter Magen stimmt jeden Reisenden milde, und in so manchem Eßlokal ist es zu anrührenden Verbrüderungsszenen mit dem Koch und seiner Mann/Frauschaft gekommen. Wohl dir, wenn du außer einem „sehrrr guttt“ mehr Fremdländisches auf der Pfanne hast.

Hier kann man ja futtern wie bei Muttern	The grub here's just like Mother used to make it
Am liebsten würde ich mir all die guten Vorspeisen voll reinziehen	Ideally I'd work my way through all the hors d'oeuvres one after the other
Das war endlich mal wieder eine üppige Spachtelei	About time we had a good feed/nosh like that

Wenn ein gutes Essen wie eine Symphonie ist, dann sind Sie der Mozart dieser Küche

☠ If a good meal is like a symphony, you're the Mozart of the cooking range

Nicht schlecht, Herr Specht

Pretty damn good, that

Ihr Gratin zergeht einem ja auf der Zunge

Your gratin just melts in the mouth

Schüchtern und leise.

Rendezvous 1

Es gibt Urlaube, da liegt das Rendezvous geradezu in der Luft. Und du bist schön dumm, wenn du die Chance nicht wahrnimmst. Neben Phantasie und Einfühlungsvermögen sind Sprachkenntnisse nun einmal unverzichtbar, denn Händchenhalten allein bringt dich selten entscheidende Schritte weiter.

Mit Ihnen könnte ich Pferde stehlen, wenn ich zu Hause mehr Platz hätte	I could really set the town on fire with you
Mir wird es nicht langweilig, den ganzen Abend an Ihren Lippen zu hängen	I could listen to you till kingdom come
Jetzt geht es mir mit einem Mal schlagartig besser	Suddenly I feel a whole lot better

Ich möchte der Planet in Ihrer Umlaufbahn sein	I want to be your number one

Ich finde Sie einfach hinreißend schön	I think you're simply beautiful/adorable

Wollen wir ein Tänzchen wagen?

Rendezvous 2

Ihr saht euch am ersten Abend und wußtet, ihr seid füreinander bestimmt. Vielleicht nicht fürs ganze Leben, aber doch zumindest für den ganzen Urlaub. Also, ran an den Speck.

Du wirst die Hauptrolle in meinem Leben spielen	☠ You can play the star part in my three-act romance
Du strahlst ja wie ein Honigkuchenpferd	You look like the cat that swallowed the canary
Mit dir würde ich gern ein kleines Ärgernis erregen	Let's you and me cause a public nuisance/disturbance
Du bist die schönste Frau unter der Sonne	You're the most beautiful woman under the sun

Jetzt oder nie Now or never

Fühlst du auch die Schmetterlinge im Bauch?

Do you feel those butterflies in your tummy too?

Eine dieser sternenklaren Nächte.

Rendezvous 3

Manchmal kommt es, wenn es eben dann kommen muß. Und es ist, wie sonst selten im Leben, wunderschön. Du reibst dir die Augen, kneifst den Po deiner Liebe und magst es kaum glauben.

Ich stehe total auf dich	You've got me hooked/ I'm under your spell
Ich fühle mich heute wie auf Wolke sieben	Today I'm on cloud nine
Komm und laß uns zusammen allein sein	Let's go somewhere we can be alone
So schön wie mit dir war es noch mit keinem/keiner	☠ It was never as good before as it was with you
Ich habe noch immer nicht genug	More, I'm still not satisfied

Ich bin ja so scharf auf dich	I can't get enough of you/I'm nuts/crazy about you

Rosarot und Sonnenschein.

Rendezvous 4

Die nächste Zeit hat etwas von Routine – Routine in Sachen Zärtlichkeit. Ihr seid fast schon ein altes Liebespaar, allerdings auf Abruf. Aber daran verschwendet keiner von euch beiden einen einzigen Gedanken.

Ich bin fürchterlich verknallt in dich	I'm really far gone on you/I've really fallen for you/I'm head over heels in love with you
Du bist der Traum meiner schlaflosen Nächte	You keep me awake at nights
Ich lege mein Herz in deine Hände. Aber nicht fallenlassen!	My heart is in your hands. Handle with care!
Du bist 'ne Wucht in Tüten	You're the goods/the genuine article/quite something

Komm mit nach Hollywood, die Sonne putzen

Let's go catch a falling star

Deine Augen sind so unergründlich tief wie die Kiesgrube bei Bammenthal

☠ Your eyes are as infinite as the Milky Way **oder ironisch:** Your teeth are like the stars, they come out at night

Auf Wiedersehen.

Rendezvous 5

Heute geht dein Rückflug. Unwiderruflich. Unaufschiebbar. Zu Hause wartet deine Familie. Urlaubsende. Ihr schaut euch noch einmal tief in die Augen, beteuert eure unerschütterliche Liebe, verdrückt ein paar Tränen und wißt doch, daß es unwiderruflich zu Ende ist. Schade.

Laß uns nicht aus den Augen verlieren	Let's keep in touch
Ich werde dir zweimal täglich schreiben	I'll write twice a day
Find' ich toll, daß du das alles nicht so eng siehst	I really like your broad-minded approach
Nimm dir bitte die Sache nicht so zu Herzen	Please don't take it so hard/tragically/seriously

Macht nichts, das Leben geht weiter

Never mind, life goes on

Ich werde dich niemals vergessen können

I'll never forget you

Kultur en gros und en détail.

Das Museum am Ort

Kultur tanken ist was für unsere Eltern. Nenne ihnen eine Kathedrale, und sie schleifen dich da rein. Im Zeitalter von Surf- und Beach-Flirt tut sich die Kultur da etwas schwerer. Aber wem ist nicht – Sozialisation hin und her – nach zwei Wochen Sonnengrillen nach einer schattigen Kirche zumute? Kultur vor Ort – das Urlaubsding der 90er Jahre.

Dank Ihrer kenntnisreichen Führung blicke ich endlich voll durch	Thanks to your expert guidance I've finally got the hang of it
Ich brenne darauf, noch mehr über Ihre Frühgeschichte zu erfahren	I can't wait to hear more about the early history of the town/village/place

Da muß doch der Direktor des Louvre vor Neid glatt platzen	If I was Roy Strong I'd be green with envy

Sie haben wirklich ein glückliches Händchen bei der Auswahl Ihrer Exponate bewiesen

You did a fine job choosing the exhibits

Was Sie da ausstellen, ist ja ein echter Knaller

These exhibits are really fantastic/a bloody marvel

Rundfahrt mit Pinkelpause.

Im Bus

Irgendwann – euer Ort kann noch so schön sein – habt ihr alles abgegrast und wollt etwas Neues sehen. Jeden Morgen schwirren die Busse vom Marktplatz aus in alle Himmelsrichtungen, mit Führung oder ohne, mit Picknick, Lagerfeuer, Schnappschuß- und Pinkelpausen und maßlos plappernden Busfahrern, die oft so anstrengend sind, daß es (fast) schon wieder Spaß macht.

Mannomann. Sie heizen ja den Bus durch die Pampa — Oh boy, they can't see us for dust

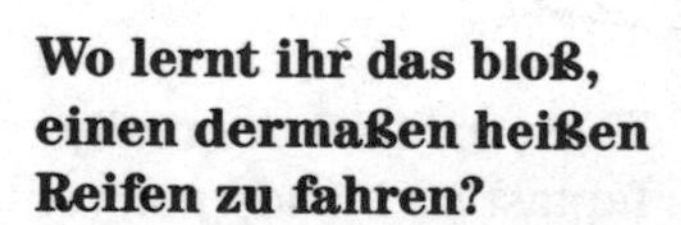

Wo lernt ihr das bloß, einen dermaßen heißen Reifen zu fahren? — Where did you learn to burn up the road like this?

Bei Ihren Sprüchen breche ich jedesmal voll zusammen	You're some witty guy
Sie strotzen nicht schlecht vor Selbstbewußtsein	You're a cool customer
Diese Tour war eine runde Sache	That was a neat/first-rate trip

Die Nacht zum Tag machen.

In der Disco

Wenn der Discjockey einen guten Abend erwischt hat, dein Lieblingshemd frisch gebügelt ist, dein Urlaubsflirt nicht zu spät kommt, die Drinks erschwinglich sind und die Lightshow nicht mehr zu überbieten ist, dann geht dir meist das Herz über. Und die Zunge folgt willig.

Fürwahr ein bärenstarker Sound heute	They're really putting out the watts here tonight
Bei dieser Musik kommt man ja richtig in Fahrt.	I could really turn on to this music
Bei euch geht aber mordsmäßig die Post ab	This is some scene you have here
Gleich drehe ich total ab bei der Musik	This music'll get my adrenalin going good and proper

Die Discos in New York waren dagegen tote Hose.

☠ New York just isn't in your/this class

Souvenirs, Souvenirs.

Beim Einkaufen

„Mir brauchst du aber wirklich diesmal nichts mitbringen.“ Wieviel Angst schwingt in dieser Bitte mit, weniger Bescheidenheit. Zugegeben: Die meisten Mitbringsel sind das Geld nicht wert, das wir dafür zahlen müssen. Aber es gibt auch Ausnahmen, und für die setzt man sich schon gerne über den Wunsch der Daheimgebliebenen hinweg.

Bei Ihnen ist zum Glück der Kunde noch König	It's good to see the customer's still king here/It's nice that the customer's never wrong here
Das haut mich aber echt von den Socken	I'm really impressed/That knocked my socks off
Alle Achtung. Ihre Leute legen sich ordentlich ins Zeug	I must say your people do their very best

Ihr Geschäft verrät den waschechten Profi	You're a proper professional

Das Angebot hier gibt mir echt 'n Kick	I get a kick out of this shop

Deine Freunde, deine Helfer.

Die Polizei

Wenn du schon zu Hause keinen Draht zu den Männern in Uniform finden kannst, im Urlaub hast du meist reichlich Gelegenheit dazu. Und da kannst du manchmal sogar erstaunliche Erfahrungen machen. Und ihren Charme haben sie meistens auch nicht hinter der Bügelfalte versteckt.

Bloß keine Panik. Sie haben doch sowieso alles unter Kontrolle	Don't panic – everything's under control anyway
Sie strahlen heute soviel Sicherheit aus	☠ You're the epitome of confidence!
Hochachtung! Das haben Sie aber schnell geschnallt	☠ I'm impressed that you got the message so fast/got my drift so quickly
In diesem Job müssen Sie ja echt auf Zack sein	I guess this job keeps you on your toes

Ihre Hilfe ist ein wahrer Lichtblick, Herr Wachtmeister	I don't know where I'd have been without you, officer*.

*Achtung: im englischen Sprachraum sollte man den "Officer" möglichst mit seiner Rangbezeichnung anreden!

Dankeschön, ich sag Dankeschön.

Das Gästebuch

Eine (Un-)Sitte unserer Vorväter und -mütter ist das Gästebuch. Es sei denn, man ist Autographensammler oder Familienchronist. Auch in kleineren Herbergen läßt sich der obligatorische Spruch in jenes poesiealbumähnliche Etwas selten vermeiden. Also: Wenn schon, denn schon. Aber mit Schmackes.

Bei euch wird einem jeder Wunsch von den Lippen abgelesen	I really felt the guest was number one
Eure Liebenswürdigkeit kennt keine Grenzen	You have been infinitely hospitable/amiable/charming
Ich fühle mich immer von Ihrem Haus magisch angezogen	Your place/hotel has cast a spell on me/This is the kind of place I like coming back to

Ich habe mein Herz an diesen Ort verloren	I've fallen in love with this spot/town/village

Auf Wiedersehen	Goodbye/be seeing you

Basisschmeicheln von a(bgefahren) bis z(uversichtlich)

abgefahren	turned on/hooked
abheben	to get carried away
Alle Achtung!	Great!/Hats off!/That's quite something.
Anerkennung	recognition/response/ feedback
jemanden anspitzen	to motivate someone
ansprechend aussehen	to look good/attractive
Antlitz	face
Applaus	applause/clapping
atemberaubend	breathtaking
attraktiv	attractive
aufgekratzt	worked-up/in a state/in a tizzy

aufgeschlossen	open-minded/broad-minded/easy-going
die Augen übergehen	to be dazzled
völlig ausrasten	to blow one's top/do one's nut.

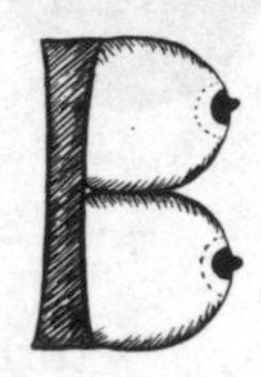

bärenstark	terrific/wild/great
bedeutungsvoll	significant/meaningful
begehren	to want/desire/lust after
begehrenswert	desirable
sich begeistern	to be enthusiastic (about something)
Begierde	desire
bewundern	to admire/respect
bombastisch	great/fantastic/impressive
heiße Braut	little raver/I wouldn't mind some of that
Busen	bosom/bust/tits/boobs

charmant	charming
Charmeur	charmer (im englischen Gebrauch meistens ironisch gemeint)

delikat	delicate
voll durchblicken	to get the drift/get the hang of . . .

enorm	terrific/**als Verstär-kung:** really/bloody
erregen	to excite/work up/wind up

heißer Feger	a nice bit of skirt/I'd be up that like a rat up a drainpipe
Freund	mate/friend
fürstlich	lavish/handsome/generous

Gaumenfreuden	titbits/something to tickle your tastebuds/delicacies
Gefallen an jemandem finden	to like someone
nicht genug kriegen können	I can't get enough of . . .
Genuß	pleasure/enjoyment
gewitzt	crafty/smart/canny
gigantisch	gigantic/terrific/ enormous/great
glänzen	to shine (auch übertragen)
glaubwürdig	believable/to have street cred (= credibility)

Goldlöckchen	Goldlocks/Little Lord Fauntleroy (Mann)
Goldstück	treasure/darling
Volle Granate!	Let her rip!
grandios	magic/terrific/wild
graziös	charming/graceful
groß rauskommen	to go down like a bomb/to make a splash

ein glückliches Händchen haben	to be good at something/to have a knack for...
Das ist ja der Hammer!	That's terrific/brilliant. **oder** That's the (bloody) limit!
Hasi	Duckie
mit Haut und Haaren	completely/totally/head over heels/ hook, line and sinker

heiß und innig	passionately
heiter	merry/jolly
Herzelein	dear/darling
von ganzem Herzen	with all my heart
Herzenswunsch	heart's desire
das Herz erobern	to capture/win someone's heart
Herzflimmern	my heart's skipping a beat/a flutter
hingebungsvoll	devoted
Hinterteil	backside/ass/arse/bum
ganz hin und weg sein	to be far gone
Hochachtung	respect
Hochgefühl	high
Hochgenuß	a real pleasure
hübsch	pretty
Hut ab vor . . .	hats off (to . . .)

irre	brill(iant)/wild/super

Kaiserwetter	superb weather/ a fine day
keck	cheeky/saucy/jaunty
kesser Käfer	a bit of all right/chick/ skirt/ass
knuddeln	cuddle
Kompliment	compliment **oder** Nicely done!
knutschen	to smooch/neck
korrekt	comme il faut/smart
Kosewörter	terms of endearment
küssen	to kiss
Kumpel	mate/pal
kuschelig	cuddly

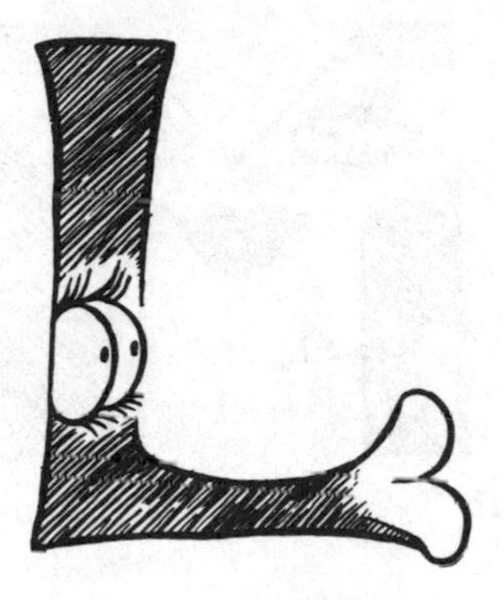

lecken	to lick
lecker	delicious/tasty
Lichtblick	a relief/turn-up for the books
liebhaben	to be fond of/care for/love
liebkosen	to fondle/caress
Liebling	darling/dear
Liebste	sweetie/sweetheart/dear
Lob zollen	to praise/sing someone's praises
locker flockig	easy-going/relaxed/cool
locker vom Hocker	relaxed
Lustgewinn	pleasure

märchenhaft	it's a dream/fabulous/ fantastic
Mausi	pet/cutie
meisterhaft	authoritative/superb
mordsmäßig	incredibly/terribly/ bloody...
Muschi	cunt/pussy/snatch

sich naß machen	to wet/piss oneself

oberaffengeil	fucking marvellous/ sensational
heißer Ofen	hotrod
ohnegleichen	incomparable/in a class of its own

pfiffig	neat/smart/cute
pfundig	great/fantastic
phantastisch	fantastic/wonderful

zur Raserei bringen	to make someone see red/drive someone mad/wild
sich etwas reinziehen	to get a load of something/enjoy
Respekt	respect
runde Sache	the bee's knees/first-rate

erste Sahne	top notch/out of the top drawer
sich in Schale werfen	to get dressed up/put on one's glad rags
Schätzchen	dear/treasure
schätzen lernen	to come to appreciate/ like/value
scharfmachen	to turn on/wind up
scharf	hot/horny/randy/ keen on... **oder** great/terrific/cool

Schatzi	darling
schmusen	to smooch/neck/pet
Schnuckelputz	sugarplum/honeypie
schwelgen	to live it up/to revel in
sexy	sexy
von den Socken hauen	to knock one's socks off
solide	sound/nice bit of stuff
spektakulär	spectacular/what a show!
auf jemanden spitz sein	to be laying out for someone
Einsame Spitze!	Absolutely superb!
spitzenmäßig	superlative
Echt stark!	Great!
stattlich	well-built/a fine figure of a man
Statur	build
einen Steifen kriegen	to have a hard-on/ stiffy/erection
Streicheleinheiten verteilen	creature comforts/to get one's share of the cream
Superbiene	a nice bit of ass
Superschlitten	car/wheels

toll	super
Traumfrau	dream woman
Traumtyp	dream man
turteln	to flirt/bill and coo

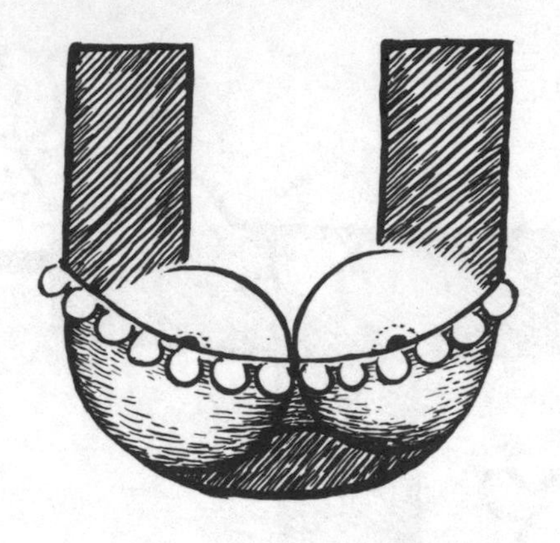

üppig	lavish/opulent (Busen: ample)
umgänglich	affable/obliging
urgemütlich	cosy/snug

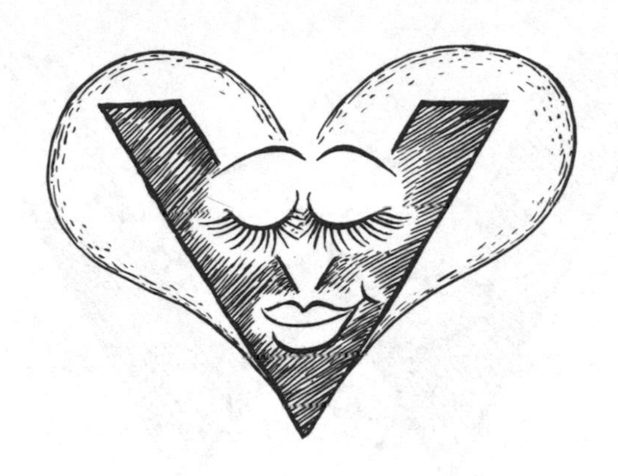

jemandem verfallen sein	to be under someone's spell
vergnügt	cheerful/happy/like the cat that got the cream
verknallt sein	to be head over heels in love
Verlangen	to want/require/de-mand/desire
sich verlieben	to fall in love
verrückt sein nach jemandem	to be crazy for/wild about someone
Versessenheit	to be hooked/keen on someone
versinken	to lose oneself/switch off

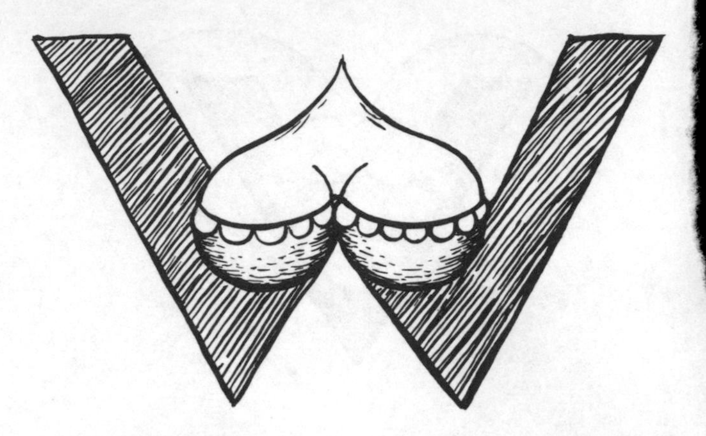

total wahnsinnig!	crazy!
Wonneproppen	bundle of joy
'ne Wucht in Tüten	quite something/the genuine article

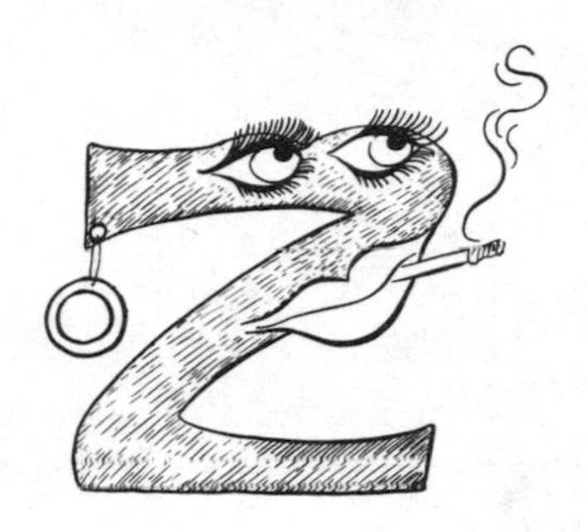

auf Zack sein	to be on one's toes/on the ball.
steiler Zahn	a bit of all right/a sight for sore eyes
sich für jemanden ins Zeug legen	to work flat out/sweat blood **oder** to put/lay out
Zuneigung	affection/fondness
zuverlässig	reliable/dependable
zuversichtlich	confident/optimistic/look on the bright side